Armande

la vache qui n'aimait pas ses taches !

Texte d'Élodie Richard
Illustrations d'Izou

AUZOU

Voici Armande, la vache normande, blanche avec des taches
noires. Elle habite une jolie ferme où la vie est agréable.
Elle donne du bon lait et tout le monde l'apprécie.
Mais Armande a un problème, elle n'aime pas ses taches !

Ce matin, comme tous les matins,
Armande sort timidement de l'étable.
Elle croise son amie Noémie, la souris.
— Comment vas-tu aujourd'hui, Armande?
lui demande-t-elle.
— Bof, comme d'habitude, je suis pleine de taches
et je n'aime pas ça ! Mélusine a de la chance,
elle n'a pas de taches et elle est si jolie, soupire-t-elle.

Mélusine, c'est la vache limousine
de la ferme voisine.
Elle a une belle robe brune...
et sans taches !

Noémie la souris est bien embêtée de voir son amie
si malheureuse. Elle cherche à lui changer les idées,
mais rien à faire, elle n'arrive pas à dérider Armande,
qui se dirige d'un pas lent vers le pré.
Maintenant, Noémie aussi est triste.

Soudain, Armande se roule dans la boue !
Quel spectacle ! Edmond, le cochon, l'interpelle :
— Armande, que fais-tu ? As-tu perdu la tête ?
Armande, couverte de boue, répond :
— Je n'aime pas mes taches et
j'en ai partout ! Mélusine est
si jolie dans sa robe unie !

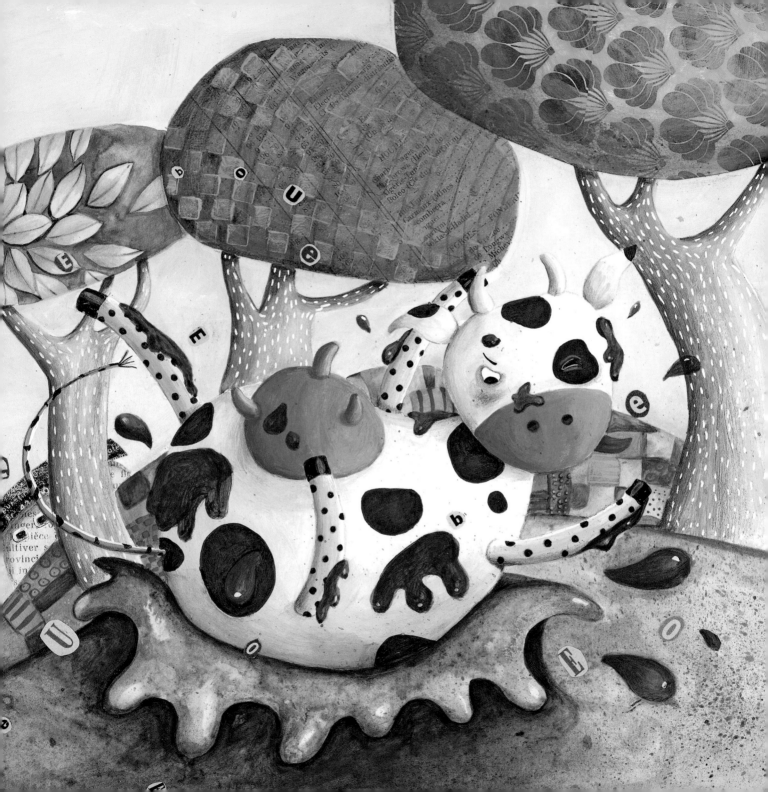

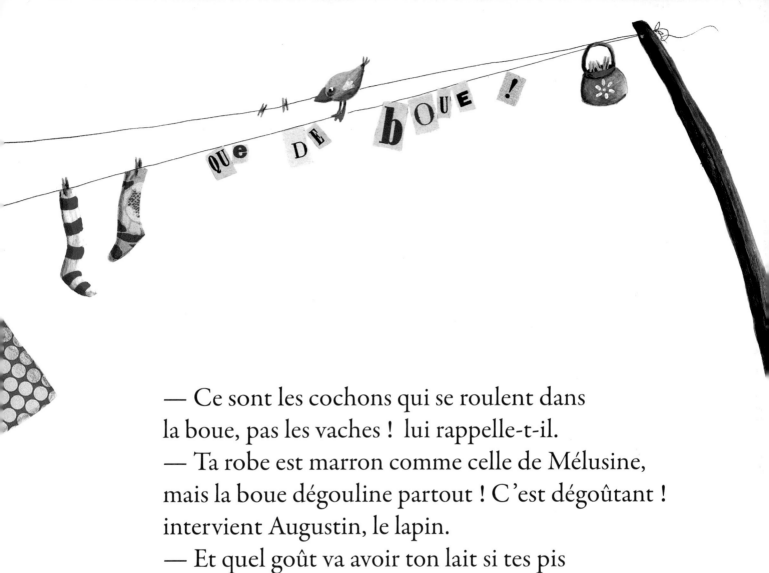

QUE DE **b**OUE !

— Ce sont les cochons qui se roulent dans
la boue, pas les vaches ! lui rappelle-t-il.
— Ta robe est marron comme celle de Mélusine,
mais la boue dégouline partout ! C'est dégoûtant !
intervient Augustin, le lapin.
— Et quel goût va avoir ton lait si tes pis
sont pleins de terre ? ajoute Jeannot, l'agneau.
Une fois encore, Armande s'en va tristement.

En chemin, Armande croise Pacha,
le chat. Pacha est un artiste, il passe
son temps à rêvasser, mais,
lorsqu'il peint, il fait des merveilles.
Tout le monde le sait à la ferme.

Armande a soudain une idée !
— Dis-moi, Pacha, ferais-tu quelque
chose pour moi ? demande-t-elle.
Je voudrais que tu arranges ma robe,
fais-moi de beaux dessins, s'il te plaît !
Pacha trouve l'idée fan-tas-tique
et sort ses pinceaux.

Mais, là encore, les animaux de la ferme s'en mêlent
et trouvent l'idée saugrenue !
— Une vache couverte de peinture ! C'est insensé !
déclarent les oies.
— On n'est pas au cirque ! C'est une ferme, un peu
de tenue tout de même ! lui lance Marie-Raoul, la poule.

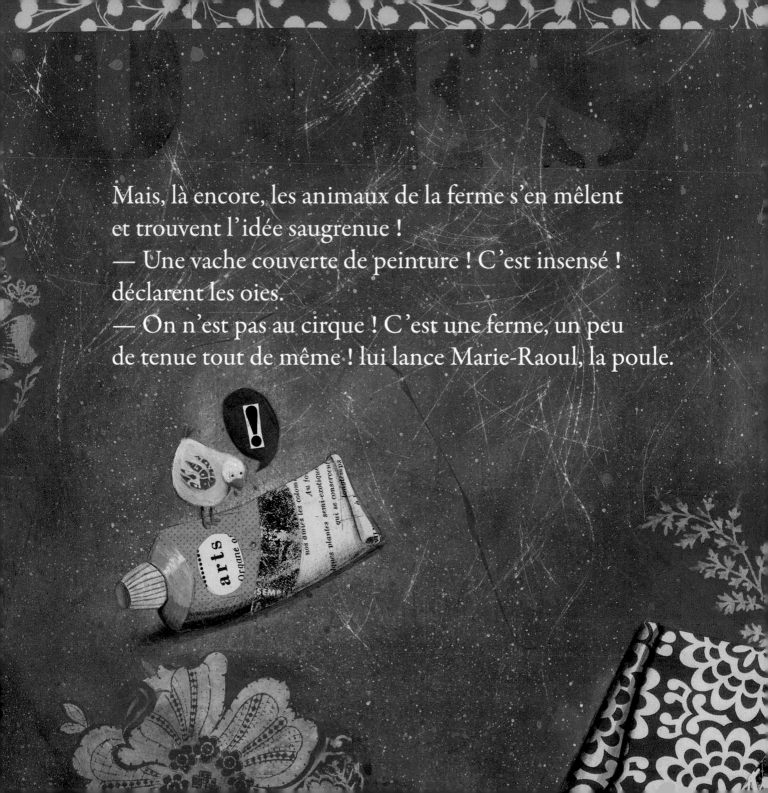

— Armande, tu es très belle avec tes taches, pas la peine
d'en faire davantage, insiste Edmond.

— Mais je suis en noir et blanc, c'est triste de ne pas être
en couleur ! rétorque Armande.

Jeannot l'agneau et Augustin le lapin la raisonnent :

— Nous aurions de quoi nous plaindre nous aussi, regarde !
Moi, je suis tout noir, dit Jeannot.

— Et moi, tout blanc ! ajoute Augustin.

Et, à l'unisson :

— Tu as de la chance d'être vêtue de noir et blanc !

Soudain, Noémie arrive tout essoufflée !
Elle a passé la journée à chercher
une solution au problème d'Armande.
— Viens, Armande, j'ai trouvé quelqu'un
qui peut t'aider !

Noémie la mène dans le pré voisin voir Mélusine,
la vache limousine.
— Bonjour, Armande, Noémie m'a expliqué ton souci
et je voudrais te montrer quelque chose qui va te faire
changer d'avis sur tes taches, j'en suis sûre !

LÉMURIEN

leçon du PROFESSEUR PLUME

a
tête

main,

L comme

Mélusine sort
un grand livre :
— Regarde ! Il existe
des animaux étonnants
en noir et blanc :
le dalmatien, le zèbre,
le panda et aussi le lémurien !
Armande est charmée par
tant de découvertes...

Et Mélusine ajoute :
— Sais-tu que les plus beaux animaux du monde ont des taches ?
Tu as de la chance ! J'aimerais en avoir aussi !
— Admire un peu la girafe avec son long cou !
Et le guépard, le jaguar, la panthère, le lynx boréal !
Ils ont tous de très belles taches !

Armande remercie chaleureusement
Mélusine de lui avoir fait découvrir
toutes ces merveilles et commence à regarder
ses taches d'un autre œil... Et si elle était
aussi jolie que tout le monde le dit ?

Cette fois-ci, elle retourne gaiement
dans son pré.

Depuis, Armande rit, elle n'a plus de soucis !
« Je m'aime comme je suis et je profite
de la vie avec mes amis ! »

Direction générale : Gauthier Auzou
Direction éditoriale : Florence Pierron
Maquette : Annaïs Tassone
Relecture : Anne Placier
Fabrication : Florent Verlet et Jean-Christophe Collett

Mes p'tits albums

Renard et les trois œufs

Moustache ne se laisse pas faire

Octave ne veut pas grandir

Roucoule est amoureuse

Petite taupe ouvre-moi ta porte !

Zafo le petit pirate !

Le loup qui voulait changer de couleur

La chauve-souris l'étoile

Croquette devient grand frère

Armande la vache qui n'aimait pas ses taches !

Rosetta n'est pas cracra !

Berlingot est un superhéros

Le loup qui s'aimait beaucoup trop

La petite souris et la dent